Dirección editorial	Tomás García Cerezo
Editora responsable	Verónica Rico Mar
Coordinación de contenidos	Gustavo Romero Ramírez
Asistencia editorial	Marahí López Pineda
Fotografía	Alex Vera Fotogastronómica ®
Estilismo	Leticia Alexander
Diseño y formación	Sergio Ávila F. / Yuridzi Reyes L.
Portada	Ediciones Larousse S.A. de C.V. con la colaboración de Cuauhtémoc Victoria Sánchez

© 2011 Ediciones Larousse, S.A. de C.V.
Renacimiento 180, Colonia San Juan Tlihuaca, Delegación Azcapotzalco,
C.P. 02400, México, D.F.

Primera Edición, noviembre 2011

ISBN: 978-607-21-0426-6

www.larousse.com.mx

Hoy ®, Derechos reservados © Televisa, S.A. de C.V. Boulevard Adolfo López Mateos, No. 2551,
Col. Lomas de San Ángel Inn, C.P. 01790, México, D.F., 2011.

Significado de símbolos

Costo:

barato **$**

razonable **$$**

caro **$$$**

Dificultad:

muy fácil

fácil

difícil

c/s: cantidad suficiente

Este libro se terminó de imprimir en el mes de
Diciembre de 2011, en Edamsa Impresiones S.A. de C.V.
Av. Hidalgo No. 111, Col. Fracc. San Nicolás Tolentino C.P. 09850,
Del. Iztapalapa, México, D.F.

LA COCINA DE hoy

Omar Sandoval

LAROUSSE

Introducción

Mucha gente que gusta de cocinar ha encontrado en los programas de televisión una alternativa de aprendizaje y entretenimiento. Y aunque a través de los años se han ofrecido opciones diversas a los televidentes, la sección de cocina del programa de revista *Hoy*, que transmite Televisa, se ha convertido en un gran éxito.

La aceptación en la gente se debe a que reconocen en Omar Sandoval a un chef profesional y no a un presentador de recetas. Igualmente, el programa ofrece prácticas preparaciones con una clara influencia de técnicas e ingredientes mexicanos, lo que la hace cercana al televidente.

Presentamos en este libro una selección muy variada de recetas del programa *Hoy* con el fin de que el lector pueda conservarlas y practicarlas, apoyándose en atractivas fotografías de los platillos. Las hemos dividido en secciones temáticas que facilitan la búsqueda de acuerdo con las necesidades de cada persona.

Los colores, aromas y sabores de las recetas de Omar Sandoval salen de la pantalla chica y se mezclan deliciosamente en esta publicación dirigida a cualquier aficionado. *La cocina de Hoy*: práctica, moderna, sana… y al alcance de todos.

Los editores

Presentación

Los grandes triunfos no llegan por azar. El éxito, por lo general, acompaña a quienes lo buscan con persistencia y tenacidad. Cuando el reflector ilumina a alguien cercano, en este caso, mi hermano Omar Sandoval, el sentimiento de felicidad es mucho mayor.

Omar nació hace poco más de 30 años en la Ciudad de México. Mientras crecía, surgía en él también la chispa del arte culinario en la mesa familiar, pues ya desde pequeño se colaba entre las cazuelas para acomodarse frente al molcajete, presto a torturar tomates, cebollas y chiles. Así empezó su historia, su gran aventura en la cocina. Años más tarde, la Universidad del Claustro de Sor Juana lo acogió para encauzarlo hasta hacer de él un licenciado en gastronomía. En el año 2007 fundó la Academia de Arte Culinario Sacchi, proyecto educativo que forma a verdaderos especialistas y difunde una gran pasión por la gastronomía. Posteriormente, en complicidad con Carmen Armendáriz, abrió el restaurante de cocina mexicana *Pandora Fonda Gourmet*.

En 2009 se convirtió en el chef del afamado programa *Hoy* que transmite Televisa. Desde entonces hasta la fecha, sus recetas y secretos gastronómicos han seducido a millones de televidentes. Además, Andrea, Galilea, Roxana, Raúl, Alan, Reynaldo, colaboradores y equipo de producción de la familia *Hoy* han aplaudido las delicias que Omar dibuja en la cocina.

En cada página y en cada receta de esta obra se vive el sabor de la cocina mexicana con platillos que están listos para dejar el papel en el que están plasmados, en busca de intimar con usted, sin dificultades y sin hacer gastos extraordinarios pero, sobre todo, convirtiendo la actividad gastronómica en un placer que lo llevará a diferentes destinos de la mano imaginativa del chef Omar Sandoval.

A finales de la década de 1980, un par de niños convertían la cocina de mamá en un estudio de televisión mientras preparaban el desayuno dominical. Jugaban a cocinar frente a las cámaras y trataban de imaginar que muchas personas los veían y escuchaban. Nadie imaginaba que la realidad rebasaría esas fantasías. El día de hoy, uno de aquellos niños hace entrega a usted, querido lector, de este anhelo en forma de libro, y lo invita a dejarse llevar por sus sueños hasta hacerlos suyos.

Mariano Sandoval

Contenido

Botanas y entradas

Costillitas de cerdo
glaseadas con chabacano

Dificultad: 　　Costo: **$ $**　　Rendimiento: **4**

INGREDIENTES

GLASEADO

½ taza de mermelada de chabacano o durazno

1 taza de salsa cátsup

2 cucharadas de vinagre de manzana

3 cucharadas de salsa de soya

1 chile chipotle adobado, sin semillas y licuado

COSTILLITAS

500 g de costillitas de cerdo

1 pizca de clavo de olor molido

1 pizca de tomillo molido

1 pizca de canela molida

2 dientes de ajo picados finamente

4 cucharadas de aceite

PRESENTACIÓN

1 zanahoria cortada en julianas, blanqueada

6 elotes baby

1 cucharada de cebollín picado

ajonjolí tostado, al gusto

PREPARACIÓN

GLASEADO

1. Mezcle los ingredientes. Reserve.

COSTILLITAS

1. Mezcle las costillitas con las especias, el ajo y 3 cucharadas de aceite; reserve en refrigeración por 30 minutos.
2. Precaliente el horno a 180 °C.
3. Caliente en un sartén el aceite restante y selle las costillitas de cerdo hasta que tengan un tono dorado; retírelas del fuego, páselas a un refractario o charola de paredes altas, bañe con el glaseado y tape con papel aluminio. Hornee por 30 minutos, retire el papel aluminio y deje 10 minutos más en el horno.

PRESENTACIÓN

1. Sirva las costillitas con un poco de glaseado y acompañe con las julianas de zanahoria, los elotes baby, el cebollín y el ajonjolí.

LOS CONSEJOS DEL CHEF

Marine las costillitas durante 12 horas para lograr un sabor más intenso.

Fajitas de pescado
capeadas en achiote

Dificultad: Costo: **$ $**   Rendimiento: 4

INGREDIENTES

CEBOLLAS CURTIDAS

1 cebolla morada fileteada
1 chile habanero cortado en rodajas delgadas,
    sin venas ni semillas
el jugo de 2 limones
1 cucharada de orégano seco
5 pimientas gordas
sal al gusto

CAPEADO

100 ml de jugo de naranja
50 g de pasta de achiote
1 ½ tazas de agua mineral o cerveza
1 taza de harina
1 huevo
sal y pimienta al gusto

FAJITAS

2 filetes de pescado blanco (cintilla,
    sierra, blanco del Nilo)
el jugo de ½ limón
sal y pimienta al gusto
½ taza de harina
c/s de aceite para freír

PRESENTACIÓN

hojas de lechuga al gusto
supremas de naranja al gusto

PREPARACIÓN

CEBOLLAS CURTIDAS

1. Mezcle todos los ingredientes y refrigere durante 2 horas.

CAPEADO

1. Licue el jugo de naranja con el achiote y reserve.
2. Mezcle el agua mineral o la cerveza con la harina, incorpore poco a poco el huevo y agregue el achiote con el jugo de naranja. Salpimiente y reserve.

FAJITAS

1. Corte los filetes de pescado en tiras pequeñas, agregue el jugo de limón y salpimiente.
2. Pase las tiras de pescado por la harina y por el capeado. Fríalas en un sartén hasta que se doren. Escurra sobre papel absorbente y reserve.

PRESENTACIÓN

1. Coloque las tiras de pescado sobre un plato. Acompañe con las cebollas curtidas, hojas de lechuga y supremas de naranja.

Flores de calabaza capeadas, rellenas de quesos con huitlacoche

Dificultad: Costo: **$ $**   Rendimiento: 6

INGREDIENTES

HUITLACOCHE
2 cucharadas de aceite
½ cebolla picada
2 dientes de ajo picados
5 hojas de epazote picadas
1 taza de huitlacoche
½ taza de caldo de pollo
sal y pimienta al gusto

CAPEADO
1 huevo
1 taza de harina
½ taza de agua fría
sal y pimienta al gusto

FLORES DE CALABAZA
12 flores de calabaza grandes
½ taza de queso Oaxaca deshebrado
1 taza de queso Chihuahua rallado
½ taza de harina
c/s de aceite para freír

PRESENTACIÓN
hojas de epazote fritas, al gusto
queso añejo cortado en lajas (opcional)

PREPARACIÓN

HUITLACOCHE
1. Caliente el aceite en un sartén y sofría la cebolla y el ajo. Incorpore el epazote y el huitlacoche y deje cocinar por 5 minutos.
2. Añada el caldo de pollo, salpimiente y reserve.

CAPEADO
1. Mezcle en un tazón el huevo con la harina y el agua hasta obtener una pasta ligeramente espesa. Salpimiente y reserve.

FLORES DE CALABAZA
1. Retire los pistilos de las flores de calabaza y rellénelas con el queso Oaxaca y el queso Chihuahua. Apriételas ligeramente para evitar que se abran.
2. Pase las flores rellenas por la harina y después por el capeado; fríalas en suficiente aceite a fuego medio hasta que se doren. Colóquelas sobre papel absorbente para retirar el exceso de aceite y reserve.

PRESENTACIÓN
1. Sirva las flores de calabaza acompañadas con el huitlacoche. Decore con las hojas de epazote fritas y acompañe con el queso añejo.

Quesadillas crujientes
con pera y tocino

Dificultad: Costo: **$ $**   Rendimiento: 6

INGREDIENTES

CRUJIENTES
12 cucharadas de queso parmesano rallado

PERAS
6 rebanadas de tocino ahumado
1 pera descorazonada y cortada en 6 gajos

VINAGRETA
1 cucharadita de vinagre de manzana
el jugo de 1 limón
4 cucharadas de aceite de oliva
sal y pimienta al gusto

PICO DE GALLO
2 jitomates cortados en cubos pequeños
¼ de cebolla picada
2 cucharadas de cilantro picado
2 chiles serranos sin venas ni
   semillas, picados
sal y pimienta al gusto

PRESENTACIÓN
hojas de lechuga italiana troceadas, al gusto
1 aguacate cortado en esferas

PREPARACIÓN

CRUJIENTES
1. Caliente un sartén y coloque 2 cucharadas de queso en forma de círculo. Cuando se haya fundido y esté dorado, voltéelo y deje que se dore. Retírelo del sartén, dóblelo ligeramente, deje que se enfríe y reserve. Repita este proceso con el queso restante.

PERAS
1. Enrolle en un gajo de pera una rebanada de tocino. Sujete el tocino con un palillo, fría en un sartén y reserve. Haga lo mismo con los 5 gajos restantes.

VINAGRETA
1. Mezcle en un tazón el vinagre y el jugo de limón; salpimente, integre el aceite de oliva y reserve.

PICO DE GALLO
1. Mezcle todos los ingredientes. Reserve.

PRESENTACIÓN
1. Revuelva las hojas de lechuga con la vinagreta.
2. Coloque dentro de cada crujiente un poco de lechuga y un gajo de pera con tocino. Acompañe con el pico de gallo y el aguacate.

LOS CONSEJOS DEL CHEF

Puede sustituir la pera por manzana o melón, y el tocino por jamón serrano.

Sopes
con champiñones al ajillo

Dificultad: Costo: **$**   Rendimiento: **6**

INGREDIENTES

FRIJOLES REFRITOS

2 cucharadas de aceite
¼ de cebolla picada finamente
1 diente de ajo picado finamente
½ taza de frijoles negros cocidos
sal al gusto

CHAMPIÑONES AL AJILLO

¼ de taza de aceite de oliva
4 dientes de ajo picados finamente
2 chiles guajillo cortados en aros delgados
2 cucharadas de perejil picado finamente
1 taza de champiñones fileteados
¼ de cucharadita de salsa inglesa
¼ de cucharadita de jugo sazonador
sal y pimienta al gusto

SOPES

3 cucharadas de aceite
12 sopes chicos

PRESENTACIÓN

½ taza de queso Cotija desmoronado
    o cortado en lajas
¼ de cebolla morada fileteada
salsa roja al gusto

PREPARACIÓN

FRIJOLES REFRITOS

1. Caliente en un sartén el aceite y acitrone la cebolla y el ajo.
2. Agregue los frijoles y aplástelos con un machacador. Añada sal y reserve.

CHAMPIÑONES AL AJILLO

1. Caliente en un sartén el aceite de oliva, acitrone el ajo y agregue los chiles y el perejil. Deje sobre el fuego hasta que los chiles se doren.
2. Incorpore los champiñones, la salsa inglesa, el jugo sazonador, sal y pimienta; cocine por 2 minutos más, retire del fuego y reserve.

SOPES

1. Caliente el aceite en un sartén y dore ligeramente los sopes. Reserve.

PRESENTACIÓN

1. Unte un poco de frijoles refritos sobre los sopes y distribuya en ellos los champiñones.
2. Acompañe con el queso Cotija, la cebolla morada y la salsa roja.

LOS CONSEJOS DEL CHEF

Evite lavar los champiñones. Para limpiarlos, frótelos con un trapo húmedo y retire la piel.

Tostadas de marlín ahumado a la mexicana con guacamole

Dificultad: Costo: **$ $**   Rendimiento: **6**

INGREDIENTES

MARLÍN

1 taza de marlín ahumado, desmenuzado
2 jitomates cortados en cubos pequeños
½ cebolla picada finamente
5 cucharadas de cilantro picado finamente
3 chiles serranos sin venas ni semillas, picados finamente
½ taza de jugo de naranja
sal y pimienta al gusto

GUACAMOLE

la pulpa de 1 aguacate
¼ de cebolla picada finamente
3 cucharadas de cilantro picado
el jugo de ½ limón
1 chile serrano sin venas ni semillas, picado finamente
sal y pimienta al gusto

TOSTADAS

6 tortillas de nopal

PRESENTACIÓN

hojas de cilantro al gusto
rodajas de naranja al gusto
cáscara de jitomate frita, al gusto

PREPARACIÓN

MARLÍN

1. Mezcle todos los ingredientes y refrigere por 30 minutos.

GUACAMOLE

1. Machaque la pulpa del aguacate en un tazón con la ayuda de un tenedor e incorpore los demás ingredientes; revuelva y reserve.

TOSTADAS

1. Precaliente el horno a 180 °C.
2. Corte las tortillas en triángulos o rectángulos, colóquelas en una charola y hornéelas por 5 minutos. Retire del horno y reserve.

PRESENTACIÓN

1. Sirva un poco de marlín sobre las tostadas y coloque encima una cucharada de guacamole. Acompañe con hojas de cilantro, rodajas de naranja y decore con cáscara de jitomate frita.

LOS CONSEJOS DEL CHEF

Puede sustituir las tortillas de nopal por pan árabe cortado en triángulos y horneado.

Para
desayunar

Burritos de chorizo y queso
Oaxaca con aderezos

Dificultad: Costo: $ Rendimiento: 6

INGREDIENTES

BURRITOS

250 g de chorizo desmenuzado
1 ½ tazas de frijoles bayos refritos
1 taza de queso Oaxaca deshebrado
12 tortillas de harina

ADEREZO DE AGUACATE

1 aguacate
1 diente de ajo
2 cucharadas de papaloquelite
1 chile serrano
el jugo de ½ limón
2 cucharadas de aceite de oliva
½ taza de crema
sal y pimienta al gusto

ADEREZO DE CHILE CHIPOTLE

½ taza de mayonesa
2 chiles chipotles adobados, sin semillas
sal y pimienta al gusto

PREPARACIÓN

BURRITOS

1. Caliente un sartén y fría el chorizo; retire el exceso de grasa del sartén e incorpore los frijoles refritos y el queso Oaxaca. Retire del fuego cuando el queso se haya derretido.
2. Coloque un poco de relleno en una de las tortillas de harina, doble las orillas de la tortilla hacia adentro y enrolle. Repita la misma operación con las demás tortillas. Reserve.

ADEREZO DE AGUACATE

1. Licúe todos los ingredientes; reserve.

ADEREZO DE CHILE CHIPOTLE

1. Licúe todos los ingredientes; reserve.

PRESENTACIÓN

1. Caliente un sartén y ase los burritos hasta que se doren.
2. Sirva dos burritos por persona y acompañe con los aderezos.

Cazuela de huevos
con salsa de chile chilaca

Dificultad: Costo: $ Rendimiento: 6

INGREDIENTES

SALSA

1 cucharada de aceite
¼ de cebolla fileteada
2 dientes de ajo picados finamente
4 chiles chilaca sin venas ni semillas,
   asados y cortados en rajas
1 taza de crema
½ taza de caldo de pollo o de verduras
sal y pimienta al gusto

HUEVOS

3 cucharadas de aceite
2 tortillas cortadas en cuadros medianos
12 huevos batidos
sal y pimienta al gusto

PRESENTACIÓN

1 taza de granos de elote
1 chile chilaca sin venas ni semillas,
   asado y cortado en rajas
frijoles de la olla al gusto
totopos al gusto

PREPARACIÓN

SALSA

1. Caliente el aceite en un sartén y acitrone la cebolla y el ajo; incorpore las rajas de chile chilaca, salpimiente y cocine por un par de minutos.
2. Añada la crema y el caldo; mezcle y retire del fuego cuando hierva. Licúe y reserve.

HUEVOS

1. Caliente el aceite en un sartén y fría los cuadros de tortilla; agregue los huevos, salpimiente y añada la salsa. Retire del fuego cuando la salsa se haya reducido. Reserve.

PRESENTACIÓN

1. Sirva los huevos en cazuelas de barro y acompañe con granos de elote, rajas de chile chilaca, frijoles de la olla y totopos.

LOS CONSEJOS DEL CHEF

Para obtener un sabor diferente, sustituya el chile chilaca por chile poblano.

Enchiladas rancheras con papa y camarón

Dificultad: Costo: **$ $**   Rendimiento: 6

INGREDIENTES

SALSA RANCHERA
4 jitomates
3 chiles serranos
¼ de cebolla morada asada
2 dientes de ajo asados
4 ramas de cilantro
sal al gusto

RELLENO
2 cucharadas de aceite
¼ de cebolla morada picada finamente
2 jitomates sin semillas, cortados
   en cubos pequeños
2 papas cortadas en cubos pequeños
3 cucharadas de perejil picado
18 camarones pacotilla
sal y pimienta al gusto

TORTILLAS
½ taza de aceite
18 tortillas

PRESENTACIÓN
lechuga romana fileteada, al gusto
½ taza de crema
queso fresco desmoronado, al gusto
¼ de cebolla morada fileteada
   o cortada en aros

PREPARACIÓN

SALSA RANCHERA
1. Hierva en una cacerola con suficiente agua los jitomates y los chiles. Retírelos del fuego, cuélelos y licúelos con la cebolla, los ajos y el cilantro.
2. Regrese al fuego, añada sal, y cocine durante 5 minutos o hasta que la salsa esté cocida. Reserve.

RELLENO
1. Caliente en un sartén el aceite y acitrone la cebolla; agregue los jitomates, las papas, el perejil y cocine por 2 minutos; añada los camarones y salpimiente. Cocine por 3 minutos más y reserve.

TORTILLAS
1. Caliente en un sartén el aceite y pase las tortillas por él; colóquelas sobre papel absorbente y reserve.

PRESENTACIÓN
1. Coloque un poco del relleno sobre cada tortilla y dóblelas a la mitad. Báñelas con la salsa ranchera y acompañe con lechuga, crema, queso y cebolla.

Gelatina de yogur
con miel y frutas asadas

Dificultad: Costo: $ Rendimiento: 6

INGREDIENTES

GELATINA DE YOGUR

2 tazas de yogur natural

1 taza de crema para batir

¼ de taza de azúcar glass

20 g de grenetina

80 ml de agua fría

GELATINA DE MIEL

10 g de grenetina

40 ml de agua fría

¾ de taza de jugo de naranja

6 cucharadas de miel de abeja

PRESENTACIÓN

1 manzana cortada en gajos, asados

1 durazno cortado en gajos, asados

1 pera cortada en gajos, asados

hojas de menta al gusto

granola al gusto

PREPARACIÓN

GELATINA DE YOGUR

1. Mezcle el yogur con la crema y el azúcar glass. Hidrate la grenetina en el agua, fúndala a baño María e incorpórela a la mezcla anterior.
2. Vacíe la preparación en moldes individuales o en un aro de 16 centímetros. Refrigere.

GELATINA DE MIEL

1. Hidrate la grenetina en el agua.
2. Caliente el jugo de naranja en una cacerola y agregue la miel de abeja; incorpore la grenetina, mezcle hasta que se disuelva y retire del fuego.
3. Vacíe sobre la gelatina de yogur cuajada y refrigere.

PRESENTACIÓN

1. Sirva la gelatina con las frutas asadas y acompañe con hojas de menta y granola.

LOS CONSEJOS DEL CHEF

Para que los frutos conserven sus jugos al asarlos, el sartén debe estar muy caliente.

Sándwich de portobello
y espinaca con queso asadero

Dificultad: Costo: **$ $**   Rendimiento: 6

INGREDIENTES

100 g de espinacas

6 hongos portobello

4 cucharadas de aceite de oliva

150 g de queso asadero de Zacatecas,
cortado en láminas delgadas

12 rebanadas de pan integral

mayonesa al gusto

1 taza de germen de alfalfa

½ pepino pelado y cortado en rodajas
o bastones

2 jitomates bola cortados en rodajas

sal y pimienta al gusto

PREPARACIÓN

1. Precaliente el horno a 150 °C.
2. Cueza las espinacas en agua hirviendo durante 1 minuto, cuélelas y refrésquelas en agua helada. Cuélelas nuevamente y reserve.
3. Retire las agallas de los hongos con una cuchara, barnícelos con el aceite de oliva, salpimiente y áselos durante 2 minutos de cada lado.
4. Coloque dentro de cada hongo un poco de espinacas y un poco del queso; hornee durante 5 minutos o hasta que el queso comience a fundirse y los hongos se suavicen.
5. Tueste el pan integral y unte mayonesa a cada rebanada; distribuya el germen sobre la mitad de las rebanadas.
6. Ponga encima del germen un hongo y tape con otra rebanada de pan. Acompañe con el pepino y las rodajas de jitomate.

LOS CONSEJOS DEL CHEF

Si es temporada de lluvias, busque en su mercado local hongo pambazo u hongo enchilado para sustituir al portobello.

Los
saludables

Arroz con pollo, manzana y nuez de la India

Dificultad: Costo: **$ $** Rendimiento: **6**

INGREDIENTES

½ pechuga de pollo sin piel, cortada en cubos medianos

4 cucharadas de salsa de soya

2 cucharadas de aceite

2 cucharadas de jengibre picado finamente

1 diente de ajo picado finamente

3 cebollas cambray cortadas en rodajas

¼ de taza de apio picado finamente

2 tazas de arroz cocido al vapor

¾ de taza de nueces de la India enteras

1 manzana verde cortada en cubos medianos

1 manzana roja cortada en cubos medianos

1 cucharada de curry

sal y pimienta al gusto

cebollín picado al gusto

PREPARACIÓN

1. Marine el pollo con la salsa de soya por 30 minutos. Caliente el aceite en un sartén de paredes altas o en un wok; acitrone el jengibre, el ajo, la cebolla y el apio; añada el pollo y cocine durante 5 minutos aproximadamente.

2. Incorpore el arroz, ½ taza de nueces, las manzanas, el curry y salpimiente. Deje sobre el fuego por 2 minutos más y retire del fuego.

3. Sirva el arroz y decore con el resto de las nueces de la India y el cebollín.

LOS CONSEJOS DEL CHEF

Después de haber cortado las manzanas, sumérjalas en un tazón con agua para evitar que se oscurezcan

Ceviche de
pescado y palmitos

Dificultad: Costo: **$ $**   Rendimiento: 6

INGREDIENTES

300 g de filete de robalo o sierra
   cortado en cubos
el jugo de 5 limones
½ taza de aceite de oliva
1 cucharadita de orégano fresco
   picado finamente
¼ de cebolla morada picada finamente
2 jitomates sin piel ni semillas, cortados
   en cubos pequeños
2 chiles serranos sin venas ni semillas,
   picados finamente
5 cucharadas de cilantro picado finamente
150 g de palmitos en conserva, cortados
   en rodajas
hojas de mejorana al gusto (opcional)
sal y pimienta al gusto

PREPARACIÓN

1. Marine el pescado con el jugo de limón, sal y pimienta durante 2 horas en refrigeración.
2. Mezcle los demás ingredientes, añada el pescado y salpimiente. Sirva decorado con hojas de mejorana.

LOS CONSEJOS DEL CHEF

Acompañe este ceviche con totopos de maíz o galletas saladas.

Ensalada de calabaza,
queso y pepita tostada

Dificultad: Costo: $ Rendimiento: 6

INGREDIENTES

1 cucharada de albahaca fresca
  picada finamente
1 cucharada de romero fresco picado finamente
1 cucharada de vinagre balsámico
¼ de taza de aceite oliva
200 g de queso panela
1 taza de germen de alfalfa
2 calabacitas cocidas, cortadas en medias lunas
½ taza de pepitas de calabaza tostadas
18 jitomates cherry cortados en cuartos
sal y pimienta al gusto

PREPARACIÓN

1. Mezcle las hierbas con el vinagre e integre el aceite; salpimiente. Separe en dos partes la mezcla y marine en una de ellas el queso durante 15 minutos.
2. Caliente un sartén y ase el queso por ambos lados, hasta que tenga un tono dorado. Reserve.
3. Sirva el queso y, sobre éste, ponga un poco de germen. Bañe con el resto de la vinagreta y acompañe con las calabacitas, las pepitas de calabaza y los jitomates cherry.

LOS CONSEJOS DEL CHEF

Para darle un acento más mexicano, puede sustituir la albahaca y el romero por epazote y orégano.

Flan de espinacas
y ajonjolí

Dificultad:	Costo: **$**	Rendimiento: 6

INGREDIENTES

VINAGRETA DE CHILE PASILLA

1 chile pasilla sin venas ni semillas,
  asado ligeramente
½ taza de aceite de oliva
2 cucharadas de vinagre de manzana
2 cucharadas de piloncillo
sal y pimienta al gusto

FLAN

100 g de espinacas
1 diente de ajo
150 ml de leche
250 ml de crema
100 g de queso crema
3 huevos +1 clara
3 cucharadas de fécula de maíz
3 cucharadas de ajonjolí tostado
sal y pimienta al gusto

PRESENTACIÓN

hojas de espinaca fritas, al gusto
tiras de chile pasilla fritas, al gusto
ajonjolí tostado, al gusto
pan blanco tostado, al gusto

PREPARACIÓN

VINAGRETA DE CHILE PASILLA

1. Licue todos lo ingredientes y reserve.

FLAN

1. Precaliente el horno a 180 °C.
2. Blanquee las espinacas, escúrralas y exprímalas para retirar el exceso de agua.
3. Licúe todos los ingredientes y vacíe en moldes individuales o en un molde de 18 centímetros de diámetro, tape con papel aluminio y hornee por 45 minutos a baño María.
4. Saque del horno, deje enfriar y desmolde.

PRESENTACIÓN

1. Sirva el flan y bañe con la vinagreta; decore con hojas de espinaca fritas, tiras de chile pasilla fritas, ajonjolí tostado y acompañe con pan tostado.

LOS CONSEJOS DEL CHEF

Evite asar o freír demasiado los chiles, de lo contrario, el sabor será amargo.

Jitomate relleno
de atún con pepino

Dificultad: 　Costo: $　Rendimiento: 6

INGREDIENTES

JITOMATES

6 jitomates bola

4 cucharadas de cebolla morada
picada finamente

2 latas de atún en agua, escurrido

1 pepino pelado, sin semillas, cortado
en cubos pequeños

½ taza de aceitunas negras sin hueso,
cortadas en rodajas

¼ de taza de pimiento amarillo cortado en
cubos pequeños

2 cucharadas de aceite de oliva extra virgen

2 cucharadas de perejil picado finamente

3 cucharadas de ajonjolí tostado

sal y pimienta al gusto

ACEITE DE PEREJIL

½ taza de aceite de oliva extra virgen

1 rama de perejil

el jugo de ½ limón

sal y pimienta al gusto

PRESENTACIÓN

galletas saladas o pan tostado, al gusto

PREPARACIÓN

JITOMATES

1. Corte la parte superior de cada jitomate y retire la pulpa con una cuchara.
2. Mezcle los ingredientes restantes con la pulpa de los jitomates; rellénelos con esta mezcla y reserve.

ACEITE DE PEREJIL

1. Licúe todos los ingredientes y reserve.

PRESENTACIÓN

1. Sirva los jitomates acompañados del aceite de perejil y de galletas saladas o pan tostado.

LOS CONSEJOS DEL CHEF

Para un contraste más atractivo utilice ajonjolí negro.

Muy
mexicano

Lomo de cerdo relleno
de queso de cabra y huauzontles

Dificultad: Costo: **$ $ $** Rendimiento:

INGREDIENTES

LOMO

1 lomo de cerdo de 1 kg, abierto
  y aplanado ligeramente
200 g de queso de cabra
1½ tazas de huauzontles limpios
    y cocidos
3 cucharadas de aceite
2 tazas de jugo de naranja
1 taza de caldo de verduras
3 hojas de laurel
1 cucharada de tomillo seco
1 cucharada de mejorana seca
5 dientes de ajo
15 cebollas cambray sin rabos
sal y pimienta al gusto

PURÉ DE PAPA Y ZANAHORIA

3 cucharadas de mantequilla
1 diente de ajo picado finamente
1 papa cocida, troceada
2 zanahorias cocidas, troceadas
½ taza de crema para batir
sal y pimienta al gusto

PRESENTACIÓN

2 rebanadas gruesas de tocino cortadas
  en cubos medianos

PREPARACIÓN

LOMO

1. Salpimiente el lomo por ambos lados y distribuya a lo largo el queso de cabra y los huauzontles. Enróllelo y sujételo con palillos o hilo cáñamo.
2. Precaliente el horno a 180 °C.
3. Caliente en un sartén el aceite y selle el lomo. Colóquelo en un refractario y báñelo con el jugo de naranja y el caldo de verduras, agregue las hierbas, los ajos y las cebollas. Cúbralo con papel aluminio y hornee por 25 minutos. Retírelo del horno, deje enfriar y rebánelo.

PURÉ DE PAPA Y ZANAHORIA

1. Funda la mantequilla en una cacerola a fuego medio, acitrone el ajo y agregue la papa y las zanahorias.
2. Machaque bien y vierta la crema; mezcle y salpimiente. Cuando el puré esté caliente, retire del fuego.

PRESENTACIÓN

1. Sirva las rebanadas del lomo con un poco del jugo del horneado, algunas cebollas cambray y cubos de tocino. Acompañe con el puré de papa y zanahoria.

Nopales rellenos de res
y chistorra con salsa de hoja santa

Dificultad: 　　Costo: **$ $**　　Rendimiento: 6

INGREDIENTES

SALSA DE HOJA SANTA

2 cucharadas de aceite
½ cebolla cortada en cubos grandes
2 dientes de ajo troceados
1½ tazas de tomates troceados
2 tazas de caldo de pollo
2 hojas santas troceadas
sal y pimienta al gusto

NOPALES

3 cucharadas de aceite
¼ de cebolla picada
150 g de chistorra cortada en tiras de 2 cm
　　de largo
300 g de falda de res cocida y desmenuzada
6 nopales grandes
sal y pimienta al gusto

PRESENTACIÓN

100 g de queso doble crema, desmoronado
½ taza de crema
arroz rojo, al gusto (opcional)

PREPARACIÓN

SALSA DE HOJA SANTA

1. Caliente el aceite en una cacerola y acitrone la cebolla y el ajo; agregue los tomates y cueza por 5 minutos.
2. Vierta el caldo de pollo y agregue las hojas santas; cuando hierva, retire del fuego, licúe y regrese a la cacerola. Salpimiente y reserve.

NOPALES

1. Caliente en un sartén 2 cucharadas de aceite a fuego medio y acitrone la cebolla, añada la chistorra, fría e incorpore la carne, sal y pimienta; cocine por 3 minutos más y retire del fuego.
2. Abra los nopales por la mitad y barnícelos con el aceite restante. Coloque un poco de la mezcla de chistorra dentro de cada nopal y áselos en un comal o sartén hasta que estén bien cocidos. Reserve.

PRESENTACIÓN

1. Sirva los nopales decorados con queso crema desmoronado. Acompañe con la salsa de hoja santa, crema y arroz rojo.

Pastel de calabazas, setas y requesón

Dificultad: Costo: **$**   Rendimiento: 6

INGREDIENTES

SETAS

2 cucharadas de aceite de oliva
¼ de cebolla picada finamente
2 dientes de ajo picados finamente
2 tazas de setas fileteadas
1 taza de granos de elote cocidos
1 cucharada de epazote picado finamente
sal y pimienta al gusto

SALSA DE JITOMATE

4 jitomates
¼ de cebolla
2 dientes de ajo
1 taza de agua
½ taza de crema
sal al gusto

PASTEL

5 calabacitas cortadas en láminas
   delgadas, cocidas
2 tazas de requesón
1 taza de queso manchego rallado
18 calabacitas baby blanqueadas y cortadas
   a lo largo por la mitad

PREPARACIÓN

SETAS

1. Caliente el aceite de oliva en un sartén y acitrone la cebolla y el ajo; agregue las setas, los granos de elote, el epazote, sal y pimienta. Cueza durante 3 minutos más y reserve.

SALSA DE JITOMATE

1. Licúe todos los ingredientes.
2. Caliente una cacerola y agregue el licuado. Cocine durante 10 minutos a fuego medio, añada sal y reserve.

PASTEL

1. Precaliente el horno a 200 °C.
2. Coloque en un refractario una capa de láminas de calabacitas, úntelas con un poco de requesón, agregue un poco de la preparación de setas y bañe con ½ taza de salsa de jitomate. Repita este paso dos veces más y cubra con el queso manchego rallado.
3. Hornee por 10 minutos, retire del horno y corte en 6 porciones.
4. Sirva acompañado con el resto de la salsa de jitomate y con las calabacitas baby.

Pechuga de pollo rellena de
plátano macho con salsa de frijol

Dificultad: Costo: **$ $** Rendimiento: 6

INGREDIENTES

SALSA DE FRIJOL

2 cucharadas de aceite
¼ de cebolla picada
1 diente de ajo picado
1 hoja de aguacate
2 tazas de frijoles negros cocidos
c/s del caldo de cocción de los frijoles
sal al gusto

GUARNICIÓN

150 g de tocino cortado en cubos de 1 cm
18 jitomates cherry
habas peladas y cocidas, al gusto
sal al gusto

PECHUGAS

2 plátanos machos
sal y pimienta al gusto
6 hojas de acelga
6 bisteces de pollo
8 tazas de caldo de pollo o de verduras

PREPARACIÓN

SALSA DE FRIJOL

1. Caliente el aceite en una cacerola y acitrone la cebolla y el ajo; agregue la hoja de aguacate y vierta los frijoles. Añada sal y, cuando la preparación esté caliente, retire del fuego.
2. Licúe con un poco del caldo de cocción de los frijoles, cuele y reserve.

GUARNICIÓN

1. Fría el tocino en un sartén y, cuando esté ligeramente dorado, agregue los jitomates cherry y las habas; saltee, retire del fuego y reserve. Añada sal si es necesario.

PECHUGAS

1. Hierva los plátanos con todo y cáscara hasta que estén suaves. Retíreles la piel, machaque la pulpa y salpimiente. Reserve.
2. Corte la nervadura de las hojas de acelga y coloque 1 bistec de pollo sobre cada hoja; salpimiente.
3. Coloque un poco del puré de plátano sobre cada pechuga, enróllelas y envuélvalas en papel aluminio. Hiérvalas en el caldo por 25 minutos; retire y rebane.
4. Sirva las pechugas con un poco de salsa de frijol y acompañe con la guarnición.

Tamal de pescado con salsa
de flor de calabaza y amaranto

Dificultad: Costo: **$**   Rendimiento: 6

INGREDIENTES

SALSA DE FLOR DE CALABAZA

1 cucharada de aceite
2 cucharadas de mantequilla
½ taza de poro fileteado
225 g de flor de calabaza limpia, picada
½ taza de amaranto
1 taza de caldo de verduras
½ taza de crema para batir
½ chile manzano sin venas ni semillas,
   picado (opcional)
sal y pimienta blanca al gusto

TAMAL

12 hojas de maíz
6 filetes de pescado blanco de 200 g c/u
sal y pimienta al gusto

PRESENTACIÓN

ejotes blanqueados, al gusto
flores de calabaza cortadas en tiras,
al gusto (opcional)
amaranto al gusto (opcional)

PREPARACIÓN

SALSA DE FLOR DE CALABAZA

1. Caliente el aceite y la mantequilla en una olla y acitrone el poro, agregue la flor de calabaza, el amaranto, el caldo de verduras y la crema; mezcle y, cuando el caldo hierva, salpimiente y agregue el chile.
2. Retire del fuego, licúe y cuele; regrese al fuego para rectificar sazón y consistencia. Reserve.

TAMAL

1. Hidrate las hojas de maíz en agua caliente para suavizarlas.
2. Coloque un filete de pescado en un par de hojas de maíz, salpimiente, vierta un poco de salsa de flor de calabaza y cierre las hojas. Repita este paso hasta terminar con todos los filetes
3. Ase los tamales en un comal por 15 minutos y retire del fuego.

PRESENTACIÓN

1. Sirva los tamales con la salsa restante y acompañe con los ejotes. Decore con las flores de calabaza y el amaranto.

Para
celebrar

Camarones con pistache
y salsa de maracuyá

Dificultad: Costo: **$ $ $** Rendimiento: **6**

INGREDIENTES

SALSA DE MARACUYÁ

3 cucharadas de vinagre blanco
½ taza de agua
½ taza de azúcar
3 chiles de árbol cortados en aros delgados
3 cucharadas de fécula de maíz
2 tazas de pulpa de maracuyá sin semillas
sal y pimienta al gusto

CAMARONES

30 camarones medianos frescos y limpios
1 taza de harina
2 huevos batidos
2 tazas de pistaches troceados
3 cucharadas de aceite de oliva
sal y pimienta al gusto

PRESENTACIÓN

arroz blanco al gusto

PREPARACIÓN

SALSA DE MARACUYÁ

1. Hierva en una olla el vinagre con el agua y el azúcar; incorpore los chiles y hierva por 1 minuto más.
2. Diluya la fécula de maíz en la pulpa de maracuyá y viértala a la olla. Salpimiente y hierva hasta que la salsa se haya espesado ligeramente. Retire del fuego y reserve.

CAMARONES

1. Precaliente el horno a 180 °C.
2. Salpimiente los camarones, enharínelos, páselos por huevo y empanícelos con el pistache. Colóquelos en una charola, vierta sobre ellos el aceite de oliva y hornee durante 5 minutos.

PRESENTACIÓN

1. Sirva los camarones acompañados con la salsa de maracuyá y el arroz blanco.

LOS CONSEJOS DEL CHEF

Para limpiar los camarones, retire la cáscara dejando la cola; realice una ligera incisión en el lomo del camarón y retire el intestino.

Cerdo en salsa
de cerveza

Dificultad: Costo: **$ $**   Rendimiento: **6**

INGREDIENTES

½ taza de harina

750 g de carne de pierna de cerdo
cortada en cubos medianos

3 cucharadas de aceite de oliva

2 dientes de ajo picados finamente

1 cebolla cortada en cubos medianos

2 zanahorias cortadas en rodajas

2 papas rebanadas y cortadas
en triángulos

1 ½ tazas de cerveza oscura

hierbas de olor al gusto

½ taza de aceitunas negras, sin hueso

3 cucharadas de alcaparras

sal y pimienta al gusto

PREPARACIÓN

1. Mezcle la harina con sal y pimienta; reboce la carne en la harina y retire el exceso.
2. Caliente el aceite de oliva en una cacerola y fría la carne hasta que obtenga un color dorado. Retire la carne y resérvela.
3. Agregue a la misma cacerola el ajo, la cebolla, la zanahoria y la papa. Cuando los ingredientes estén ligeramente dorados, incorpore la cerveza, la carne, las hierbas de olor, las aceitunas y las alcaparras. Tape y cocine a fuego bajo por 30 minutos o hasta que la carne esté cocida. Rectifique de sal y retire del fuego.
4. Sirva la carne y las verduras con un poco de salsa.

LOS CONSEJOS DEL CHEF

Si desea un platillo
con un sabor más
pronunciado, utilice
costillas de cerdo.

Chile ancho relleno
de arrachera con salsa de nuez

Dificultad: Costo: **$ $**   Rendimiento: **6**

INGREDIENTES

SALSA DE NUEZ

2 cucharadas de mantequilla

1 cucharada de aceite

¼ de cebolla picada

2 dientes de ajo picados finamente

1 taza de nueces

1 taza de leche

1 taza de crema

½ taza de queso parmesano rallado

sal y pimienta al gusto

CHILES

2 cucharadas de aceite

¼ de cebolla morada cortada
en cubos medianos

500 g de arrachera cortada en cubos medianos

½ taza de queso panela cortado en cubos
medianos

5 hojas de epazote picado

sal y pimienta al gusto

6 chiles anchos sin venas ni semillas, asados
y rehidratados en agua caliente

mitades de nueces al gusto

PREPARACIÓN

SALSA DE NUEZ

1. Caliente la mantequilla y el aceite en una cacerola a fuego medio y acitrone la cebolla y el ajo. Agregue las nueces, cocine durante 2 minutos y vierta la leche y la crema; deje que hierva y retire del fuego.

2. Añada el queso parmesano, licúe, salpimiente y reserve.

CHILES

1. Caliente el aceite en una cacerola y acitrone la cebolla. Incorpore la arrachera y cueza durante 5 minutos; agregue el queso, el epazote, sal y pimienta; cueza por 2 minutos más y retire del fuego.

2. Rellene los chiles con la mezcla anterior, sirva con la salsa de nuez y decore con las mitades de nueces.

LOS CONSEJOS DEL CHEF

No remoje los chiles durante mucho tiempo, ya que se romperán y será más difícil rellenarlos.

Filete de res en alsa
de ate de membrillo

Dificultad: Costo: **$ $ $**   Rendimiento: 6

INGREDIENTES

SALSA DE ATE DE MEMBRILLO

2 cucharadas de aceite
½ cebolla picada
2 dientes de ajo picados
2 jitomates cortados en cubos grandes
2 chiles guajillos sin venas ni semillas, fritos
1 taza de caldo de res o ave
1 taza de ate de membrillo picado
sal y pimienta al gusto

GUARNICIÓN

3 cucharadas de mantequilla
2 tazas de vegetales mixtos
1 cucharada de romero
   fresco picado
sal y pimienta al gusto

FILETE

16 escalopas de res de 120 g c/u
sal y pimienta al gusto
4 cucharadas de aceite
romero fresco, al gusto

PROCEDIMIENTO

SALSA DE ATE DE MEMBRILLO

1. Caliente el aceite en una olla y acitrone la cebolla y el ajo; añada los jitomates y los chiles y cueza por 3 minutos.
2. Incorpore el caldo y el ate, hierva por 10 minutos a fuego bajo, licúe, cuele y regrese al fuego; salpimiente y reserve.

GUARNICIÓN

1. Caliente la mantequilla en un sartén y saltee los vegetales. Añada el romero picado y salpimiente; retire del fuego y reserve.

FILETE

1. Salpimiente los filetes de res.
2. Caliente el aceite en un sartén y cueza la carne al término deseado; retire del fuego.
3. Sirva las escalopas con un poco de salsa de ate de membrillo, acompañe con la guarnición y decore con romero fresco.

LOS CONSEJOS DEL CHEF

Para lograr mejor textura y brillo en la salsa, agregue 3 cucharadas de mantequilla al momento de servir, moviendo constantemente para integrarla.

Mole
de mandarina

Dificultad: Costo: **$ $**   Rendimiento: 6

INGREDIENTES

MOLE

3 cucharadas de aceite
3 chiles pasillas sin venas ni semillas
3 chiles anchos sin venas ni semillas
¼ de cebolla cortada en cubos
2 dientes de ajo picados finamente
3 jitomates asados, troceados
¼ de taza de almendras peladas y tostadas
¼ de taza de cacahuates tostados
1 taza de caldo de pollo
2 tazas de jugo de mandarina
1 pizca de comino
1 pizca de clavo de olor en polvo
1 raja de canela pequeña, frita
70 g de chocolate de metate
sal y pimienta al gusto

PRESENTACIÓN

6 piezas de pollo cocidas
1 mandarina cortada en supremas
arroz blanco al gusto
frijoles refritos, al gusto
totopos al gusto

PREPARACIÓN

MOLE

1. Caliente el aceite en una cacerola y fría ligeramente los chiles; retírelos de la cacerola y reserve.
2. Añada la cebolla, el ajo y acitrone; incorpore los jitomates, cueza durante 5 minutos y añada los chiles, las almendras y los cacahuates. Cueza por 5 minutos más.
3. Agregue el caldo de pollo, el jugo de mandarina, las especias y el chocolate. Cueza por 5 minutos más.
4. Licúe hasta obtener una salsa muy tersa y regrese al fuego para rectificar sazón y consistencia. Retire del fuego.

PRESENTACIÓN

1. Sirva las piezas de pollo y bánelas con el mole; decore con supremas de mandarina y acompañe con arroz blanco, frijoles refritos y totopos.

LOS CONSEJOS DEL CHEF

Puede asar las especias durante unos segundos en el comal para que los sabores de éstas se intensifiquen.

Postres y bebidas

Agua de fresa y piña

Dificultad: Costo: **$**   Rendimiento: 6

INGREDIENTES

2 tazas de agua
1 taza de piña picada
10 fresas
2 tazas de jugo de naranja
1 pizca de cardamomo en polvo
6 cucharadas de miel de abeja

PREPARACIÓN

1. Licúe todos los ingredientes y refrigere antes de servir.

LOS CONSEJOS DEL CHEF

Varíe el sabor de esta bebida combinando las fresas con frutos rojos, como frambuesas y zarzamoras.

Flan
de guayaba

Dificultad: 　　　Costo: **$**　　　Rendimiento: **8**

INGREDIENTES

CARAMELO
½ taza de azúcar refinada

FLAN
1 lata de leche condensada
1 lata de leche evaporada
6 huevos
100 g de queso crema
8 guayabas
½ taza de nueces

PRESENTACIÓN
rebanadas de guayabas deshidratadas, al gusto
gajos de guayabas frescas, al gusto
figuras de azúcar, al gusto

PREPARACIÓN

CARAMELO
1. Ponga el azúcar dentro de un molde para flan de 20 centímetros de diámetro y derrítala sobre el fuego directo hasta que se forme un caramelo. Reserve.

FLAN
1. Precaliente el horno a 180 °C.
2. Licue todos los ingredientes y vierta sobre el molde con el caramelo.
3. Cubra el molde con papel aluminio y hornee a baño María por 45 minutos aproximadamente, o bien, cueza en olla de presión por 20 minutos. Deje enfriar y desmolde.

PRESENTACIÓN
1. Decore con guayabas frescas y deshidratadas, y con figuras de azúcar.

LOS CONSEJOS DEL CHEF

Para una presentación más atractiva puede hornear el flan en moldes individuales.

Frutas con crema
de naranja y tequila

Dificultad: Costo: **$ $**   Rendimiento: 6

INGREDIENTES

CREMA DE NARANJA
2 tazas de leche
½ taza de azúcar
2 yemas
2 cucharadas de fécula de maíz
el jugo de 1 naranja
la ralladura de 1 naranja
2 cucharadas de tequila

CHOCOLATE
10 galletas de chocolate
½ taza de nueces

MONTAJE
½ taza de fresas cortadas en cuartos
1 durazno cortado en cubos pequeños
1 mango cortado en cubos pequeños
1 kiwi cortado en cubos pequeños
1 manzana cortada en cubos pequeños

PRESENTACIÓN
triángulos de pitahaya, al gusto
crujientes de ajonjolí, al gusto (opcional)

PREPARACIÓN

CREMA DE NARANJA
1. Hierva la leche con la mitad del azúcar.
2. Mezcle las yemas con la fécula de maíz, el jugo de naranja, la ralladura de naranja y el resto del azúcar. Vierta una porción de la leche a la mezcla y bata continuamente.
3. Añada la mezcla de yemas a la leche y cocine a fuego bajo hasta que la preparación espese. Retire del fuego, vierta el tequila y reserve.

CHOCOLATE
1. Licue las galletas con las nueces hasta obtener una textura de arena gruesa. Reserve.

MONTAJE
1. Coloque en un vaso un poco del chocolate, un poco de frutas mezcladas y bañe con la crema de naranja. Repita esta operación hasta que el vaso se llene. Monte el resto de los vasos de la misma forma.

PRESENTACIÓN
1. Decore con los triángulos de pitahaya y los crujientes de ajonjolí.

Gelatina
de lichis

Dificultad: Costo: **$ $**   Rendimiento: 6

INGREDIENTES

BASE DE GALLETAS
¼ de taza de mantequilla
1 taza de galletas de chocolate molidas

GELATINA
1 cucharadita de aceite
2 cucharadas de azúcar glass + ½ taza
15 g de grenetina
60 ml de agua fría
1 taza de jugo de lichis
2 tazas de crema para batir

COULIS DE MANGO
1 taza de mango
3 cucharadas de azúcar

PRESENTACIÓN
1 cucharada de cocoa
50 g de chocolate derretido
figuras de chocolate (opcional)

PREPARACIÓN

BASE DE GALLETAS
1. Funda la mantequilla y mezcle con las galletas molidas. Reserve.

GELATINA
1. Barnice con el aceite el interior de un aro de 18 centímetros y espolvoree las 2 cucharadas de azúcar glass.
2. Coloque el aro sobre una tabla o en el plato donde vaya a servir el postre, y ponga un poco de la base de galletas, presionando con los dedos. Reserve.
3. Hidrate la grenetina en el agua. Mezcle en un cazo la grenetina con el jugo de lichis y caliente a fuego bajo hasta que la grenetina se disuelva. Retire del fuego.
4. Bata la crema con el azúcar glass restante hasta obtener picos suaves; incorpore de forma envolvente el jugo de lichis con grenetina.
5. Vierta sobre el molde y refrigere por 4 horas.

COULIS DE MANGO
1. Licúe ambos ingredientes y reserve.

PRESENTACIÓN
1. Desmolde la gelatina, decore con la cocoa, el chocolate derretido, el coulis de mango y las figuras de chocolate.

Granizado de guanábana, melón y albahaca

Dificultad: Costo: **$ $**   Rendimiento: **6**

INGREDIENTES

GRANIZADO

1 taza de hielo
1½ tazas de pulpa de guanábana
4 cucharadas de miel de abeja
15 hojas de albahaca

PRESENTACIÓN

¼ de taza de licor de melón
hojas de menta

PREPARACIÓN

GRANIZADO

1. Licue el hielo con la pulpa de guanábana, la miel y las hojas de albahaca.

PRESENTACIÓN

1. Coloque en un vaso pequeño un poco de licor de melón y vierta el granizado. Decore con hojas de menta.

LOS CONSEJOS DEL CHEF

Varíe el sabor del granizado, sustituyendo las hojas de albahaca por menta o hierbabuena.

Mangos flameados
con salsa de vainilla

Dificultad: Costo: **$ $**   Rendimiento: 6

INGREDIENTES

SALSA DE VAINILLA
½ taza de crema para batir
1 taza de leche
½ taza de azúcar
1 vaina de vainilla
3 yemas

PASTA *CIGARETTE*
100 g de mantequilla
100 g de azúcar glass
100 g de clara
100 g de harina

COULIS DE FRUTOS ROJOS
1 taza de frutos rojos (frambuesas, zarzamoras, fresas)
3 cucharadas de azúcar

MANGOS
5 cucharadas de mantequilla
5 cucharadas de azúcar morena
3 mangos
½ taza de ron o brandy

PREPARACIÓN

SALSA DE VAINILLA
1. Hierva la crema con la leche, el azúcar y la vaina abierta por mitad a lo largo.
2. Coloque las yemas en un tazón; vierta la mitad de la leche poco a poco sobre las yemas, batiendo constantemente; regrese la leche con las yemas al fuego. Cocine a fuego bajo hasta que la salsa adquiera una consistencia ligeramente espesa. Retire del fuego y reserve.

PASTA *CIGARETTE*
1. Precaliente el horno a 180 °C.
2. Acreme la mantequilla con el azúcar glass e incorpore poco a poco la clara y la harina.
3. Tome un poco de pasta con una espátula y extiéndala sobre una charola con papel encerado o con un tapete de silicón. Haga figuras muy delgadas en la forma que desee.
4. Hornee durante 3 minutos, retire del horno y dé a la pasta la forma que desee mientras continúa caliente. Reserve.

COULIS DE FRUTOS ROJOS
1. Licue todos los ingredientes, cuele y reserve.

MANGOS
1. Caliente la mantequilla en un sartén con el azúcar y añada los mangos. Cocine durante 3 minutos.
2. Agregue el ron y flamee. Reserve.

PRESENTACIÓN
1. Sirva los mangos acompañados de la salsa de vainilla y el coulis de frutos rojos. Decore con las figuras de pasta *cigarette*.

Refrescante de yogur
con mango y almendra

Dificultad: Costo: **$**   Rendimiento:

INGREDIENTES

REFRESCANTE

2 mangos maduros
2 tazas de yogur
¼ de taza de azúcar
½ taza de almendras peladas
1 cucharada de canela en polvo
2 tazas de hielo

PRESENTACIÓN

mangos enchilados al gusto

PREPARACIÓN

REFRESCANTE

1. Licúe todos los ingredientes hasta obtener una mezcla homogénea y tersa.

PRESENTACIÓN

1. Sirva en vasos de vidrio y decore con los mangos enchilados.

LOS CONSEJOS DEL CHEF

Para pelar las almendras, introdúzcalas durante 3 minutos en agua hirviendo, sáquelas del agua y tállelas con un trapo.

Rollitos de plátano
con cajeta

Dificultad: Costo: **$ $**   Rendimiento: 6

INGREDIENTES

SALSA DE CAJETA

1 taza de leche
2 cucharadas de esencia de vainilla
1 taza de cajeta
la ralladura de 1 naranja
2 cucharadas de ron

ROLLITOS

300 g de pasta hojaldre
¼ de taza de azúcar morena
¼ de taza de canela en polvo
2 claras batidas ligeramente
2 plátanos Tabasco cortados en rodajas
½ taza de arándanos deshidratados, picados
¼ de taza de nuez picada
¼ de taza de azúcar refinada

PRESENTACIÓN

hojas de menta al gusto
arándanos deshidratados, al gusto

PREPARACIÓN

SALSA DE CAJETA

1. Mezcle todos los ingredientes. Reserve.

ROLLITOS

1. Precaliente el horno a 210 °C.
2. Extienda la pasta hojaldre hasta que obtenga un grosor de 4 milímetros y córtela en 6 rectángulos de 15 x 18 centímetros. Reserve.
3. Mezcle el azúcar morena con la canela. Barnice con clara el contorno de los rectángulos de pasta de hojaldre y acomode sobre ellos las rodajas de plátano; espolvoree con el azúcar morena con canela y distribuya sobre los rectángulos los arándanos y la nuez.
4. Enrolle los rectángulos y barnice el exterior con clara; espolvoree con azúcar. Hornee a 210 °C los primeros 10 minutos, después baje la temperatura a 170 °C y hornee durante 15 minutos más.

PRESENTACIÓN

1. Sirva los rollitos acompañados con la salsa de cajeta. Decore con hojas de menta y arándanos deshidratados.

Tapioca con crema de coco y nieve de limón

Dificultad: Costo: **$**   Rendimiento: 6

INGREDIENTES

TAPIOCA

1 taza de tapioca en perlas, remojada en agua durante 2 horas
2 tazas de leche
½ taza de coco rallado y picado
½ taza de crema de coco
2 cucharadas de esencia de vainilla
¼ de taza de azúcar

CROCANTE DE MIEL

3 cucharadas de azúcar
2 cucharadas de harina
3 cucharadas de mantequilla a temperatura ambiente
2 cucharadas de miel de abeja
¼ de cucharadita de ron
1 pizca de canela

PRESENTACIÓN

1 ℓ de nieve de limón

PREPARACIÓN

TAPIOCA

1. Hierva la tapioca en agua hasta que comience a cambiar de color, cuélela, refrésquela en agua fría y reserve.
2. Caliente en una olla la leche con el coco, la crema de coco, la esencia de vainilla y el azúcar hasta que hierva; baje el fuego e incorpore la tapioca. Cocine a fuego bajo y mueva constantemente hasta que las perlas de tapioca estén suaves y la preparación haya espesado. Deje enfriar y reserve en refrigeración.

CROCANTE DE MIEL

1. Precaliente el horno a 170 °C.
2. Mezcle todos los ingredientes hasta obtener una preparación homogénea; refrigere durante 20 minutos.
3. Tome un poco de pasta con una espátula y extiéndala sobre una charola con papel encerado o con un tapete de silicón, haga figuras muy delgadas en la forma que desee. Hornee durante 5 minutos o hasta que comiencen a dorarse. Retire del horno y dé a la pasta la forma que desee mientras se encuentra caliente. Reserve.

PRESENTACIÓN

1. Sirva la tapioca en vasos o copas y coloque una bola de nieve de limón sobre ésta. Decore con el crocante de miel.

Torta de elote
con rompope

Dificultad: Costo: **$** Rendimiento: 6

INGREDIENTES

TORTA DE ELOTE

3 cucharadas de mantequilla para engrasar
  + ⅛ de taza fundida
¼ de taza de pan molido
2 tazas de granos de elote, cocidos
½ taza de azúcar
¼ de taza de leche
3 huevos
1 cucharada de polvo para hornear
1 cucharada de esencia de vainilla

SALSA DE ROMPOPE

2 tazas de leche
½ taza de azúcar
1 raja de canela
5 clavos de olor
5 yemas
½ taza de rompope

PRESENTACIÓN

frutas de la estación, al gusto
figuras de caramelo (opcional)

PREPARACIÓN

TORTA DE ELOTE

1. Precaliente el horno a 180 °C.
2. Barnice un molde para pastel con las 3 cucharadas de mantequilla y espolvoree el interior con el pan molido.
3. Licúe los granos de elote con el azúcar, la leche, los huevos, el polvo para hornear, la esencia de vainilla y la mantequilla restante.
4. Vacíe la mezcla en el molde y hornee durante 20 minutos o hasta que la superficie tenga un tono dorado y la torta esté cocida.
5. Retire del horno, deje enfriar, desmonte y corte en porciones.

SALSA DE ROMPOPE

1. Hierva en una cacerola la leche con el azúcar, la canela y los clavos de olor durante 5 minutos. Cuele y regrese al fuego.
2. Bata las yemas hasta que espesen ligeramente, vierta un poco de leche sobre éstas y agregue al resto de la leche. Cocine durante 10 minutos o hasta que la preparación espese.
3. Retire del fuego, deje enfriar y agregue el rompope.

PRESENTACIÓN

1. Sirva la torta tibia acompañada de la salsa de rompope y frutas de la estación. Decore con figuras de caramelo.

Glosario

ACITRONAR: freír cebolla o ajo en un elemento graso hasta que se tornen translúcidos. El nombre se debe a que los ingredientes adquieren una apariencia semejante a la del acitrón.

BAÑAR: agregar un líquido por encima de una preparación para hornearla, hacer una salsa o terminar un platillo. También puede referirse a salsear alguna preparación al momento de servirla, ya sea un postre o un plato fuerte.

BAÑO MARÍA: técnica que consiste en cocinar un alimento en un recipiente, que a su vez, se encuentra dentro de otro recipiente de mayor tamaño con agua hirviendo. Sirve para diversos propósitos: mantener una mezcla caliente o fundir sin riesgo de que se quemen los ingredientes (chocolate, grenetina, mantequilla o preparaciones con huevo) y cocer los alimentos delicadamente con vapor.

BATIR: sinónimo de montar. Trabajar enérgicamente con un batidor un elemento o preparación con el fin de modificar su consistencia, su aspecto y su color. Este proceso se realiza de forma manual o con una batidora eléctrica. A la crema o claras batidas también se les llama crema o claras montadas.

BLANQUEAR: sumergir alimentos crudos por pocos minutos en agua hirviendo (generalmente con sal), para después enfriarlos en agua con hielo; los alimentos se escurren para posteriormente continuar con su preparación. Este proceso permite ablandar, depurar, eliminar el exceso de sal, quitar la acidez, pelar fácilmente o reducir el volumen de los ingredientes.

CAPEAR: cubrir un alimento con huevo batido para freírlo. Las claras de huevo se separan y se baten hasta que formen picos suaves. Después, se añaden las yemas una a una sin dejar de batir, hasta que la mezcla queda amarilla y homogénea. El alimento se sumerge en el huevo batido para que quede totalmente cubierto y se fríe hasta que el huevo esté cocido y dorado.

FILETEAR: cortar en diagonal o en rebanadas finas una pieza de carne, un pescado o ciertos mariscos, verduras o frutos.

FLAMEAR O FLAMBEAR: incendiar el alcohol proveniente de algún licor, destilado o vino, con el fin de suavizar su sabor. El líquido se calienta previamente y después se acerca a la flama para que se incendie y se evapore el alcohol.

JULIANA: corte de verduras en forma de tiras largas y delgadas.

MARINAR: remojar algún ingrediente en un líquido aromático durante un tiempo determinado para suavizarlo y/o perfumarlo.

SALTEAR: cocinar algún alimento a fuego alto en un sartén con una pequeña cantidad de grasa, moviendo constantemente. Los ingredientes que se saltean siempre deben ser pequeños, para que su cocción sea rápida y uniforme.

SELLAR: dorar la superficie de una carne con alguna grasa a fuego alto para cerrar los poros de todos los lados y mantener los jugos dentro.

SOFREÍR: dar un ligero color a algún alimento, dorándolo cuidadosamente en un elemento graso. La operación se realiza sobre todo con las cebollas, pero también se hace con diversos vegetales.

TEMPERAR: homogeneizar uno o más ingredientes o mezclas con diferentes temperaturas. Este proceso se realiza cuando el choque súbito de temperaturas puede afectar la textura y consistencia del producto final. Para hacerlo, se agrega en tandas pequeñas el producto con temperatura más baja hasta entibiarlo, para después mezclarlos.

Índice